歌集

如何なる花束にも無き花を

水原紫苑

Mizuhara Shion

本阿弥書店

歌集　如何なる花束にも無き花を＊目次

装幀　柳川貴代

歌集

如何なる花束にも無き花を

水原紫苑

人形

近衛士官は人形なりき

軍服の父を知らざる幸《さきは》ひをブローチとして心臓に刺す

詩に遠き少女期われはゴキブリの飛ぶを知らずき父を打ちにき

悲しみに睫毛あるべし花舗つねに冷えびえとして兵舎に肖《に》たり

供《く》花《げ》を買ふわれを見つむる亡き犬よしんじつといふ泥にまみれて

碧玉《へきぎよく》のキーウィ食めば死は不意にわが子と氣づく生まざりし吾子《あこ》

ははそはの母は想はず折々にキャベツおもほゆ巻き締めらるる

おそろしき野分の夜半《よは》を死者たちはあらはれにけり乾パンの邊《へ》に

ホームレス容れぬ避難所わたくしのうたにみいづるかなしきかなや

夢に見る亡き犬毛色《けいろ》異なれり汝《なれ》にあらざる汝《なれ》を抱きしむ

ささがにの蜘蛛の家なりわたくしはとはの寄宿者ちひさき紫苑

椎の木を失ひたれば不遜なる少女X《エックス》かへらざりけり

ヴァイオリンにふれしことなき人生にかがやくものは港ばかりぞ

神々のハラスメントは詩となりぬ秋のテラスに泣かざりしわれ

ゆふぐれのカフェラテあはれ古寺の鐘つき男われならましを

蛾眉くらくドヌーヴ在りしそのかみの寵童われを捨てたりき死海に

今生に逢はで過ぐべきひさかたの宇宙飛行士、白まんじゆしやげ

みづからを追ひつめてゆく愚かさは四頭立ての馬車にて來たる

アメジストひとつに賭けしいのちゆゑたれ待つとなき夜半《よは》のたのしさ

光りたる梨の實今し悪人のてのひらに在り秋たけにける

白き獅子飼はむとおもふ霜月の朝《あした》のわれは山河なりけり

怒りたる若者たちに踏まれゆくひとひらのさくら紅葉《もみぢ》たるべし

梅若万三郎に寄す　二首

夕顔の能果てて見し望月に血汐みちたり變成男子《へんじやうなんし》

破れたる芭蕉の女わたくしは雪と世界のいづれと死なめ

ふらんすの夢の浮橋渡り來る亡き犬よ汝《なれ》は故國を見しか

天皇とファロスの闇にとらはれし三島を今ぞ解き放つべき

籐椅子にわれは坐らず椅子は永遠の伴侶のごとく秋の陽《ひ》を浴ぶ

親殺しなりけむかつて中國に日本が爲せし暴虐のあまた

共に陸軍中尉。母の兄なる伯父は商人の子にして應召、戰死し、職業軍人なりし父は戰後、母の家に入る。伯父在りせば、父母は婚姻せず、わがいのち無からまし。われは戰爭の子なり

大日本帝國に殺されし伯父捨てられし父われを創るも

わたくしを開けといへる友のこゑ秋空にひびき人類は舟

ふらんすと日本の差別の構造の共通性説く非在の薔薇よ

おとろふるいのちの中に出會ひたる未知のみづうみ、未知の鳥飛ぶ

土耳古《とるこ》桔梗けざやかにしてげんじつに近づきてゆく共產黨綱領

キリストもブッダも犬にあらざれば信に足りずとおもふ秋かな

みづからの光をもたず巡りゆく星の一瞬の人類史のジュリー

海のごとき無知を抱《いだ》きてわがいのち果てむかなしもかもめは書物

薔薇窓のなき教會に木枯は何求めてや吹き入りぬらむ

蟲のこゑ絶えてさざんくわ咲きいづる萬象をこそわが敵となせ

わが生みし荒野いとしもひとり立つナザレびとなくばいよよ美《は》しきを

鳥たちが木々の祕密をうたふ冬われはわれらをもとな病みけり

一切の自然は神の罠なれば犬もさくらも青ふかきかも

亡き犬のしらほね食まず不狂人われなることの凍れる扇《あふぎ》

紅葉《こうえふ》はいまだ樹に在りあてどなき戀ごころもて泉とならむ

神から神へ

遠矢《とほや》射るアポロンよわれは愛にして不死なる汝《なれ》に死を知らしめむ

犬と私のレスポス

アフロディテ讃歌あやふし孤獨なる大歳《おほどし》の夜を百合立ちまよふ

去年《こぞ》の雪わが手に炎えてサッフォーの全作品在る宇宙ぞここは

亡き犬の星いまだ無く月読《つくよみ》の言葉よみつつ春をこそおもへ

きさらぎのさくら貧しき誕生日　月は黄金《こがね》の鶴のはばたき

梅咲けば未來おもほゆさくら咲けば過去《すぎゆき》おもほゆいづれにも無きわれ

鳥歩む春を生きつつ日本語を超え得ざること怒りのごとし

菊の紋附ける旅券を鶺鴒に見すればはつかわらひたりけり

昨日

金色《こんじき》のそびらの鳥がわれに來し昨日は在りし首里城と影

被害者にして加害者たりき
マルクスを讀みしこと、チーズを好みしこと、戰地にて住民を壕に入れし
こと、つたへきくのみ

沖繩戰に死にたる伯父よ一生《ひとよ》われにきみがうらみをうたはせたまへ

琉球の海のみどりや日々われらむさぼりやまぬたましひの色

ポリス

首里城は燃えしを即位の饗宴はあかねさす日のごとくありけり

胸反らしあらはれいでしいちにんは問はれざる者この虚國《むなぐに》に

不可解のものとして視る皇后のなみだ百重なすポリスの彼方

飛ぶ鳥の明日はたれかも卽位式反對デモに捕はれし三人《みたり》

ひさかたの光のごとく〈お言葉〉はやすやすとわれらの法《のり》を超えたり

さにづらふ林檎見つめて佇てりけり大嘗祭の祕密明かせよ

大和歌の源ゆきて裁くべしたまきはるわがうちなる天皇制

聖者のレッスン——四方田犬彦に

さくらかへで黄葉《もみぢ》と紅葉《もみぢ》照り合へるこの庭に來よ老ジャンヌ・老セバスチャン

父かも知れず

極月の雀ら庭に亡き犬とあそべるが見ゆコペルニクス戀ほし

椿食むひよどりわれをおどろかすこの星は天の無名の市民

なまめける鴉の羽根をひろはむと思ひためらふ父かも知れず

再び愛の犬

さくらばな病のごとく咲き満てり愛の犬なるわがまなかひに

夢に見し大きうたびと天體の沈默をもてわが問ひに答ふ

ゆけと言ひかへれと言へる虹色のインコ一羽がわが心かも

美しく夭《わか》く逝きたるいちにんをねぶるまなこは漆黒ならず

たましひに橋を架けなば名づけたきジェラール・フィリップいづこへ渡す

コミュニストなりにし君が信ぜざる神に抱《いだ》かれゆくまでの早さ

われに戀、世界に恐怖いまだ失せず薔薇の棘のみ食《たう》ぶる羊

春の雪

ジェラール・フィリップ、三島由紀夫の忌日重なり高らかにわらふ何者か在る

年經たるフィルムの中のふらんす語花の雪ふるごときリエゾン

「春の雪」演ずるジェラールたまかぎる仄かに浮かぶ疫病の世や

白鳥

白鳥は病める世界を抱きしめていづこへ飛ばむ神の中の神

にんげんの恐れきはまる春の夜を時計はわれに愛を告げ來ぬ

ふれえざる死者のまなこにくちづけし立ち上がるとき宇宙は刃《やいば》

戀ごろも

月光にウィルス入りゆくしづけさをたれに告ぐべき葡萄酒われは

ヘレネーの胸よりしろき白藤《しらふぢ》の沈黙ひかり國とは何ぞ

あづさゆみ春のねむりを忘れたる水惑星を指輪となさむ

微小なるいのちきらめきピアニストたふるるのちのピアノわたくし

人類の危機を見つむる薔薇の目の深きくれなゐわれが生みしか

裂かれゆく空の痛みよ夏つばめ永遠といふ病を運べ

ジェラールと呼ぶとき海がよみがへりわれは溺るる青き悪魔に

父母を賣りたましひを賣り流星のきみにささぐる銀の花束

戀ごろもすきとほりゆく天球に鳥と星との言の葉たがふ

不死の島はつかに浮かぶあけぼののを數かぎりなき鴉が愛す

病院は阿修羅のごとく闇に立ち少年の貌《かほ》老いゆけるはや

林檎の木搖るる地球に捨てられしなきがらのわれ死を夢見たり

青空のきりぎしに棲む亡き犬よ世界を捨てよといざなひやまず

ホメーロス一人なりしか孤獨死を希《ねが》ひおそるるみづうみひびく

女男《めを》あらぬウィルスのこころ水に問ひけふを生きゆく夕映われら

六角

白犬は宇宙なりしかあかねさす紫水晶うたへば重し

太陽は夢を知らねばひさかたの天使を抱きて海となしたり

遠ざかりまた近づけるたまきはる死の貌《かほ》六角ふらんすのごと

雀の車

不死の人よこぎる部屋に黄金《わうごん》のごとくねむらむつひに父母なし

暗殺者つねに若きを翁面かかぐる夢のわれは腐れり

いちはつは枯れて復《ま》た咲き友といふ奇跡の庭をこの星に持つ

稲妻の娘なりしを老いそめて思ひいだせる夜《よる》はひなげし

いづこにも塔なき町を巡りつつ色を拒める紫陽花となる

死者のこゑ死者のほほゑみ青き夜《よ》を杜甫と李白のいづれも知らず

恍惚のロレンザッチョはいつの日も静かの海の見えぬさざなみ

夜《よる》は歩む木の葉のやうにひさかたの天より來たる役者のやうに

こはれゆくわたくしの手にくちづけをさなくば遠きアヴィニョンの星を

殺《あや》めたきもののひとつに扇《あふぎ》あり桐の花さへ知らぬうつそみ

業平に母在りしこと夕映の花が語らばたれか死ぬらむ

忘却と神話のあはひ花ゆれて花摘みに來し少年凍る

二千年前のをみなはをみなに戀しつつ雀の車われをつらぬく

さびしさや未來を映す鏡より睫毛はこぼれ百合は死にけり

ラシーヌはわが繭なりきうたかたの宇宙に絹をまとはせむ今

北極星落つる明日をうたひたるしろつめくさを處刑なす朝

青葉若葉狂はば昏き魔術師のガウン匂はむ新世界より

砂となる金貨かなしも終はりなき輪舞のうちに立ちつくすひと

不狂人花のごとくに咲《ゑま》へるをこの世の果ての罪と想はな

わたくしは薔薇と感ずる一瞬のすぎゆきしのち金属戀ほし

ユリシーズ遠かりしかど葛城の峯の雲よりあるいは近き

ああ螢放てるひとを悪《にく》みつつ人間の盾と今しならばや

玉蟲の厨子に追はれていまだ見ぬフィレンツェといふ母の谷間へ

百済観音おそらくわれを忘れたまひ生くるほかなきうつそみは瀧

満月は昨夜《きぞ》かこよひは希望なき美しき井戸こころに掘らむ

わたくしは生姜紅茶のくれなゐやきみがコギトをさかしまに生く

運命はひとみ大きく淡からむたれか失ひし猫のごとくに

死ののちは星の時間を生くべきに剣《つるぎ》を賜ふわが母よ五月

イコン

白犬は言葉と共にわれに來つひかりといへる直面《ひたおもて》はも

犬妻は歌はずさあれピアニシモほのかに大氣ふるはするはや

汝《なれ》が名のさくら想へば人類はイコンに生くる空のみなしご

恐龍のとほき裔《すゑ》なる鳥たちに原不安とふしらたま渡す

破れたるつばさを金もて接《つ》がむとす愛戀に肖《に》る思想はいかに

星々の心とならむその日まで眞の共產主義を知らずや

死のごとく明らかに立つ大樹よりしばし離《さか》りて菓子食まむとす

くちなはは夢に夕日とならむかなわだつみに入る快樂《けらく》おもほゆ

海やまゆとほくねむりて佛身の御衣《おんぞ》にふれつ罪ふかからむ

邊境のはかなき花に在らむことわれは嘉《よみ》すも波のいのちを

權力はあふぎのごとく開かれて青人草のあはれそよぎき

永遠に逢はむかたなきいちにんの假面のもとにわが生は在り

戰争のなき世なりせばイリアスのオデュッセイアのなからましかば

神々はくるしまざれば存在に非ずとおもふ幽寂の春

レオナルド・ブルー

山茶花のくれなゐこぼれ無限とは母のなきこと神抱《いだ》くこと

レオナルド・ブルーの空ゆ性あらぬ眞冬の戀は歩み來たりぬ

人は詩を胡蝶は梅を夢見つつレテの岸邊に匂ひけるかも

春秋のいづれかきみの舞はむとて富士のけぶりのうへなき想ひ

失はれし時の噴水浴《あ》みよかしインフェルノなる火中《ほなか》のたましひ

白馬非馬暗きを生きてたてがみをわだつみに向け記憶に向けぬ
しんじつと未來のあはひ落ちてゆく椿の今し玻璃を砕くも

流響院卽詠二〇一八年春

佐野藤右衛門に寄す

新月ゆ満月に向かひさくら咲く遲速はあらねあはれ西行

朝露の花の目覺めに立ち會へばわれの一生《ひとよ》に戀なきごとし

この世なる最《もと》も小さきさくらばな神といへるはかくなる姿

むらさきの鬱金 櫻《うこんざくら》に逢ひたきは突然變異のわれなるゆゑか

鬱金櫻わが前《さき》の世の友ならむ革命ゆめみ散りけるものか

後《のち》の世はやまざくらばな、けだものの犬と交はり鬼を生むべし

＊　＊　＊

岡崎の流響院はわが愛兄《いろせ》とほく別れて共に青き血

われを待つ水音と龍　不可視なる龍は生死の祕密を宿す

今のほかわたくしは無く瀧抱《だ》かばちちははも無き無限光彩

この門はいづこに入らむさみどりの花の果てなる三界に來ぬ

うつろはぬものこそ花と逢ひえたるうすくれなゐの狂《きやう》をよろこぶ

玉のごと老いざくら咲く玉のごとわが死なざらむ來よやメフィスト

かぎりなく瀧に近づく今日在れば六十年は幻ならむ

女《をみな》にも男《をのこ》にもあらぬうつそみの瀧は愛戀きはまるかたち

瀧とわれといづれ羞《やさ》しきいのちなる造物主なき東洋の春

あかねさす狂女カサンドラ招きたし瀧と松との渇仰世界

松の彼方、戀の彼方に瀧生きて虹の架からむしんじつの日や

庭といふ戀人のことかたらへば天金の書に春の雨ふる

花過ぎて自由なる庭にんげんのものに非ざる瀧のおんがく

美しき監獄と見るこの庭のいづこ瀕死の白鳥踊る

パンあらぬ庭とおもへばキリストは降《くだ》り來たまふきざはしもなし

君といふさみどりの庭萌ゆるとき瀧の音《ね》まことわれのこゑなり

革命と戀と庭在る人生の名殘りの時のむらさき想ふ

瀧ひとりわれもひとりの晩春にダイヤモンドのごとく戀落つ

幽る

秋の日の鍵の重さはほろびゆく太陽の身の夢ゆのがれて

雨粒は互《かた》みに知らず雨といふ言の葉の中ねむりあへずも

さくら紅葉《もみぢ》ほのかにわれをおもひいでよ右大臣實朝いまだ在る秋

堪へず紅葉《こうえふ》髮の先までしんじつを求むることの弱りもぞする

星よりも橋はさびしく川よりも鴉はくらし十字架のゆゑ

ははそはのよみがへるときあかねさす紫の石われは幽《かく》るる

月を見ず葡萄を食まずこはれゆくこころに紙の衣着せたり

白鳥の娘は炎もたらすを告げなむとして白萩ふるふ

いつの日かおんがくとなる犬妻を抱《いだ》けば水の戀ぞひさしき

この秋を忘れやはするひさかたの天より來たるひとたびの文《ふみ》

夢あるいは死

睡蓮はけふも開けり五月より九月に至る夢あるいは死

たましひの井戸に別るるみづからは青空となり星辰を抱く

ゆふやみにまなこながるる樹木らの母の名前を知れとごとくに

白萩に逢ひたる時計ほのかなる呼吸ののちを死ににけるかも

秋の蝶おとろふる身の羞《やさ》しさは一宇宙年果ての言の葉

神すらも統べえぬものぞ金木犀香れるかぎり罪は在らずも

想ひびと〈自由〉のすがた石となる後の世までもわすらえなくに

犬妻の老いのきらめき目守《まも》りつつ濁流をこえ彼岸にゆくも

非暴力澄みわたるときにんげんは紅葉《こうえふ》すらむ海やまのあはひ

立ち枯るるる曼珠沙華過ぎ緋を過ぎてこころ玄冬のふかきに游ぶ

象形文字

卵黄に春の曇天あふれつつ死に死に死にてあかるきものを

百千鳥《ももちどり》そらに叛逆なすあした永遠の青殺すくちばし

宇宙の死われの死薔薇の死の重さ恍惚としてはかりがたしも

神は人を人は神を創りけるとや　檸檬《れもん》は如何に

初めより存在せざるわたくしは風のペルソナよそのともしび

たましひの泥をぬぐへば見知らざる旅人ひとりいぶかしげなる

虹を生み鏡を生みしははそはの母はさくらをおそれやまずも

戀ひ戀ひて石はつばさを得しならむ天のよだかの星に逢ふべし

革命をうたはば野垂れ死にこそはあらまほしけれあはれ黄白《くわうはく》

沖縄とふ南の心臓きらきらとこの虚國《むなぐに》に血を注ぎけり

鳥も蝶もわれを見捨つる日曜日全人類の悲苦のまにまに

モナリザが懐胎とせばおそろしきそのみどりごにわれはならまし

排泄は孤獨なるわざ逝く夏のピアノひそけく尿《ゆまり》せりけり

奪はれし心を探し歩むなりマルコに逢ひてマルコを殺す

自死・狂死あらざる花のいのちさへ色なき鬱とおもほゆるかも

黄金《わうごん》のわれの腕《かひな》を捥ぎとりて冥界へゆく汝《なんぢ》を悪《にく》む

契りきな星の曼陀羅あふぎつつたまきはる死の正身《むざね》見むとは

あひみてののちの心のくれなゐの末摘花よ君こそは不死

ゆふぐれといへるをみなに渡されし走り書きなり　コロス・わだつみ

バッコスの信女ら奔《はし》る山中の木々に狂氣はうつりたりけむ

ちはやぶる神にて在りしいにしへを想ひいづれば日々是《これ》いくさ

わがかつて妊りし子はしらつゆのひさしきいのちおくのほそ道

風の音《と》のとほきわたくし見えわたる水の折口信夫もぢずり

西へ行く花月のひとの逢ひにけるキリストあはれ戀となりけむ

いつ見きか和泉式部の手枕《たまくら》のコスモス濡るるをみな二人を

海といふ少女を愛し果てにけりわが前《さき》の世の眉のしづけさ

光る他者、薫るみづから、父と子の菊花の契り羞《やさ》しきものを

水にして器なること　夢にして言葉なること　戀の限りや

犬妻の老いぞさびしき秋草のシオンの娘とわれを呼びける

美しき忘却曲線白鳥のうた忘れなば翁とならむ

つれづれに眺めむものは久方の月の裏側つひのエロスや

死の外《ほか》に想ひびとなきみづからは回轉扉無限にひらく

あかねさす紫式部飛び立たむ宇宙の旅に伴ふアリス

星座さへ黙《もだ》す秋雨しんじつのカラマーゾフは夢見ざりけり

象あゆむ第三惑星さびしけれネックレス掛けすなはち外す

穂にいづるかなしみ在れば縄文のヴィーナスひかりなぐはしきかな

時は今ぶだうのみどりくちびるにふれなむとして召されゆくはや

みづうみの足音ひびきふりかへるまなぶたうすく戀始まらむ

七頭の硝子の馬にみちびかれ病める世界のぬくもりを知る

むらぎもの心の紅葉《もみぢ》らんらんとわれを犯せり父ならなくに

インセストもはや叶はぬ夢なればば朝羽夕羽《あさはゆふは》のふりゆくこころ

水のうへわが歩むときプラトンは羊とならむゆめな忘れそ

蜻蛉島《あきつしま》はかなきものを秋の野に花のロゴスを求めけるはや

死にし井戸死にしゆふぐれ飛ぶ鳥の明日か逢ひなむ秋の薔薇《さうび》に

玉の緒の絶えなむのちの秋の野をアンドロギュノスあそびせむとや

海の子と山の子出會ふ草の原かれがれにして悲母のごとしも

玄牝《げんぴん》やひかりの繭となりゆかむをみな超えたるこのうつそみは

せぬならでは手立てあるまじき境涯に日々近づきて中空《なかぞら》を数《よ》む

天皇霊さらばと言はむすめろぎはみづがねのごと朱《あけ》に近きを

ぬばたまの夜の髪解けば置く霜の象形文字《もんじ》ひとみ刺すはや

パラドックス

人界ゆとほく生きつつ時じくのさくら愛さば鬼となるべし

木枯と窓の生《な》したるひとりごのわれはも始源のア音を知らず

物語に歌あるごとくわだつみに森さやぐなりみるめかなしも

雪の夜はとはにつづけり女形と女のあはひふりやまずけり

珠衣《たまぎぬ》のさゐさゐしづみいのちとはパラドックスと言ひし君はも

君不見

君不見《きみみずや》冬のピカソに夭折の花束ささげわれは飛びしを

背景の左が白きままなりしセザンヌ夫人愛を知るべし

死ののちのゴッホは青き鳥なりといつはりの月《つき》下弦のこころ

みにくき薔薇

戰争と天皇つひにうたひえずむごき蒼穹に寄するくちびる

ひさかたの世界とわれの訣別の白にしあれば鳥はこたへよ

雪の夜の一角獣はたれなりし　少年少女ひとみむらさき

ふらんすの須佐之男立ちて不犯なる手に着せくれしわれのローブは

夕星《ゆふづつ》に昇りゆくなり金色《こんじき》の沈默《しじま》かかよふ處女《をとめ》なる犬

あかねさす狂氣羞《やさ》しくいつはりのちちははに逢ふ鏡の娘

少年犬あくがれいでし垣根にてちひさき虹のかけらみいづる

イチローを見しよりつばさきららかにたれも歩めり黃昏《くわうこん》を知らず

白犬のさくら來たりし七夕ゆ夢とうつつは同じきものを

きみ空に溢れゆくかなきさらぎの河津櫻の契りかなしも

われといふ狂言綺語のうつそみに花ふらしける武悪ただよふ

北戀ふるきみがいのちの極まりをただ花とのみながめたりしや

沖縄戰に死にたる伯父をたましひの父となしけりみごもりののち

ヴェネツィアングラスの紅きネックレス欲りけり生きて親殺しわれ

ははそはの母を奪ひしさくらばな十字架に散り船に散るめり

わが上にひとひらの雲流れざる　母は無限のメタモルフォーズ

ちちのみの父の鼻梁を吹く風のはつかなる青忘らえなくに

天霧《あまぎ》らふ憎しみさあれ父は今大きみづうみ水鳥われは

かぐはしき老いびとならまし春日井建その手にふれしわれを呪ふも

なすな戀　山中智恵子賜ひける扇《あふぎ》ひらけばちしほこぼれ來《く》

搖れつづく庭の椎の木汝《なれ》もまたおそれゐたりやわれらを抱《いだ》き

セシウムの雨に濡れつつさまよへり〈不在の花〉と〈花〉のあはひを

飯館《いひだて》の牛にいふべき言の葉のあらざりければ詩人に非ず

シールズのシュプレヒコールきよらなれ帯のうちなる死にし子さやぐ

ほろびゆく國の若者うつくしき額《ぬか》もてりけり雲雀棲むべく

日本語を母語となさざる人々の發語にひかるコンビニの傘

よみがへる犬妻われに命じたり遁走せよ永遠を月に委ねよ

いまだ見ぬ邊野古の海の珊瑚らとこよひ交はる浴身あはれ

失ひしピアノは城に至りしやその黑髮のすぢごとに獨り

革命のエチュード果てて木枯を待つこころはも火を奔《はし》らせむ

この星の最もみにくき薔薇として冬にみひらくわれとわがうた

豚

われは豚、われは肉屋の彌生《やよひ》かなありてあらざる大和言の葉

刑務所のケーキを想ふさくらばな見えざるものはなつかしきかな

蒼空《あをぞら》と蜜のあはひを飛ぶロゴス永くもがなとおもほゆるかも

われがまづ屈服すらむ權力に夢に太陽にエミリーに死に

シュンポシオンをみな容れずも葡萄酒となりて犯さむ愛のうつそみ

虹まとひマルクスに逢ふをみなごの未來問ふべくマルクスに逢ふ

政權のメドゥーサの首ゆらめくを鏡盜られしペルセウスはも

如何なる花束にも無き花を

側溝を走る鼠よ抱きしめよ如何なる花束にも無き花を

時は時をはるかに追へり水仙の踏みにじられし庭こそは神

わがかつて娼婦なりけるゆふぐれの馬車のごとくに地球《テラ》はめぐるも

たれに問はむ宇宙は大人なりや否や雪ふる一日《ひとひ》あけぼのにして

いつの日も蜜柑は城のすがたにて若き城主を守るつゆけさ

死を知らず雲雀を知らぬわが犬とわれといづれが襤褸《らんる》に近き

トルストイとドストエフスキー咲くごとき二本《ふたもと》の椿に鴉飛び交ふ

若草の妹《いも》を焼きたる夕映かロゼシャンパンは天にこぼるる

琉球とアイヌをまこと虐《しひた》ぐるそらみつ大和の月は匂へり

星視えぬ星空の涯《はて》乞食《こつじき》座《ざ》葱《ねぎ》座《ざ》ありけりわがこころの座

いちはやきみやびを想ふ玉蜻《たまかぎる》ほのかにひとと成れる春邊《はるべ》は

業平に冥界下りありしこと忘却の河われのみぞ知る

水晶の森に佇むいちにんは大津皇子か額秀《ぬか》でたり

鳥の編むレースの墓へあかねさす紫の日に照らされゆくも

きざはしを深く愛せばめつむりてよこたはりけり銀河をとめよ

母なくて夕波千鳥いにしへに戀ふる盲《めし》ひの王なりし日や

風の骨あらはに見ゆるきさらぎを過ぎゆけるひとみな扇《あふぎ》かも

舞ふことの絶えて久しきうつそみに蝶とまりけりここは近江か

ひよどりはさくらの枝にさかしまにおのれ保てり神の夢はも

入浴のよろこびよりも良き歌を求めたりしがヒュブリスならめ

ロラン・バルトのこゑの官能波立てるコレージュ・ド・フランスとふみづうみの椅子

海を見し薔薇は嘔吐す孤獨なる少年の蒼きつばさの上に

プルーストの鈴を鳴らすはぬばたまのわが黑翁《くろおきな》きみにありしか

みどりごとをさなごの境くきやかに虹立てりけり雁のゆく空

信夫山しのぶこころのおとろふるわれら彌生《やよひ》の花に灼かれむ

鶺鴒《せきれい》のたましひ石に溢れたる春晝《しゆんちう》死者はいまだ生れずも

カミーユは瀧とおもへばきらめきに打たれたる馬みづからは時

石蓮花《せきれんくわ》見えざるものを母とよぶわたくしやみにふるるそのはな

生きの緒の弱れるかたへ惑星はうちかたぶきて共にくるしむ

正倉院文様まとふわが身より象脱け出でて普賢へ向かふ

ちちははにころされし子は白鯨とならむか冷えに冷えたるいのち

首狩るは夢狩るならむさくらばなちりかひくもるいちにんを狩れ

天使

ひさかたの天使が神と會話せるこゑのかすれをかなしみにけり

死ののちも武具を愛せるトロイアの英雄たちは紫に照る

エクウスとよばれていつか波立てるわが胸に棲む妖精女王

斧を抱くラスコリニコフ少女なるわれはゑがけりみづうみとして

海といふ約束のみが記されしパピルスあらむ奴隷の部屋に

ははそはの母が息子を引き裂きて凱歌をあげし山美しき

燕來るけふといへども革命の地に時じくの雪はふりつつ

おそろしき假面の人と踊りけり夜の果ての夜のちひさき牡丹

三月

萌えいづる楓の彼方たれか見むバベルの塔のさくらばな在り

ほととぎす

白犬は神に近きを添ひ臥して十八年の鬼の醜草《しこぐさ》

死に近き白犬さくらわが妻と今ぞよぶべきわれはわれゆゑ

死に近き白犬さくらぬばたまの黒き舌もてわれに向かふも

死に近き白犬さくら汝《なれ》が來し七夕を待つこころ昏《くら》しも

死に近き白犬さくら汝《なれ》を打つエロイカわれはとどめがたきを

死に近き白犬さくらわたくしをのつぺらぼうの鏡となせり

まどろみゆおどろきし時その首は垂れてゐにしか花のごとくに

時じくのさくら散りけりさみだれにみだれごころの天を喪《うしな》ふ

悲しみは音樂なれば眞澄《まそ》鏡《かがみ》ながるるものを抱《いだ》かむとすも

母、父、きみ、過ぎゆきしかど罪あらぬ汝《なれ》のみわれに死を展《ひら》かざる

天界のオルガスムスを今知らむ汝《なれ》と想はば死もさやけきか

死神はわれぞと想ふ朝焼けに泪《なみだ》凍れる魚《うを》か世界は
紫陽花の球《きう》をひらきて汝《なれ》に逢ふ傷つけられし星のごとくに
けだもののわれと交はる言の葉の汝《なれ》はつめたき無限のさくら

海知らぬ汝《な》が葬送にベネデッティ・ミケランジェリの青ひびくかも

ト短調バラード妹《いも》のごとくにも愛《かな》しかりけり吠えよ犬族《けんぞく》

道をゆく犬こそは他者たまかぎるゆふぐれといふ貴方のうちの

紫のうちなる青にゆかましを夢ほととぎす汝《なれ》はひとつぞ

ほととぎす一生《ひとよ》聽かずは常世にしえにしなからむきみかニーチェよ

かへり來ぬ昔男のいくたりや天よりあはれレモンふりけり

白鳥と扇《あふぎ》のあはひ生くべくは貧しきくにの老いたるをとめ

阿部定はわれにやあらむくちなしの花に向かひて全き一人

青鷺の來たれるけふはうつつ濃く米朝うごくわが戀の外

若者の絶望といふきりぎしにわれも立ちなむ變若《をち》かへりなむ

獨裁のゆゑよし知らむ合歡のはな雲の旗手《はたて》に匂へる刻《とき》を

風の音《と》の遠きテラスにわが在りてこの世の果てのスコーン食めり

トリスタン堪へず逢ひけるたましひはしろたへの毛にもとなつつまれ

死なしめて狂はざりけりへヴンリー・ブルーの彼方戰爭が笑む

銀河

存在と非在のあはひ跳ぶ妻よ天のさくらは地のさくらかも

白玉のいのち砕けし夜のねむり取り返すべきわれならなくに

銀河とはこの世のほとり永遠の白犬の中さまよひゆかむ

歌のつばさよ

夏草の思ひしなえてあゆむ身を高志《こし》へ運ばむ歌のつばさよ

紫の珠《たま》となりてむ水底《みなそこ》にきみが影なす藤波の日や

幸《さきは》ひはつねに湖《うみ》より　淡水の魚《うを》食めばあな啓示來たれる

亡き犬は虹と想へば水打ちて日々逢はむかなわれもまた虹

ひさかたの雲居に遊ぶ亡き犬の睫毛ながるる飛行機の窓

恆星のこころにつひに屆かざる惑星われはさくら抱《いだ》けり

少女より老婆と成りしわが貌《かほ》を星降る井戸に沈めけふ在り

青旗

大君を神とぞうたふ人麻呂のひとみ青かれ海の呪ひに

月ゆがむ眼《まなこ》をもちて青旗の幻視おもへば匂ふごとしも

もののふの八十《やそ》白犬のその中ゆわれに來たりし言靈《ことだま》さくら

さだすぎて巫女となりたる祖母《おほはは》のいますがごとし夕星《ゆふづつ》ひくし

黑髮の波打つよはひ石上《いそのかみ》フルトヴェングラーくるしく戀ふも

ヴァンソン

小さき女詩人われと書きければ小さきは要らずとヴァンソン言へり

フルトヴェングラー戀へりと言へばみるみるに顔曇りゆくふらんすびとヴァンソン

何ゆゑに亡命せざりしかと問はる　ベルリンあたかも東京のごとく

仙翁花——村上湛に

仙翁花その朱《あけ》よりもいのち濃く刃《やいば》持つなり革命記念日

うたびとに死を

自由をあげるとママンは言った

夏衣《なつごろも》うすき契りぞうつくしき睡蓮と鴨わたくしとうた

焼け落ちしノートルダムの尖塔に刺さるるゆめのわれは若きか

あけぼのの長歌は窓を打つものをまどろみやまぬ青のプシュケー

何者にもあらぬわがためふらんすの薔薇の扇《あふぎ》はあらはれにけり

如何ならむ神のこころか文語譚聖書の中のゴキブリの卵《らん》

樂人の切手を貼りて息つきぬ星の重さの葉書ひとひら

ロワールの城を巡りしわが髪はみじかかりにき雷《らい》を發しき

硝子戸に蟬のぶつかり去りゆけり蟬知らざらむカラマーゾフよ

ホロヴィッツ月光ソナタうちつけに來たりけるかも蜘蛛は知らせず

若竹と修羅と音樂きよらなる夏の一日《ひとひ》を別れゆくかな

夏椿きみにささげむ無名記《むめいき》の扉眞白きゆふぐれに落つ

長恨歌一行のみを誦《そらん》じてふりかへらざる火星のひとは

たましひと心のあはひひるがほの咲きみだれたり処刑場なり

煩悩《ぼんなう》の犬となりてむ　亡き犬は眞夏のさくらふれなば焼けむ

汝《な》が骨と汝《な》が存在に橋架けてこよひのわれはまたたかずけり

短夜《みじかよ》を葦笛《あしぶえ》吹きて呼びいづる眼《まなこ》三《み》つなるもゆらをとめや

最澄の經卷在りし南《みんなみ》の寺に薄氷《うすらひ》のこころ捨てたり

わが戀はほろびにけりな庭荒れてきみが河津櫻もすさまじ

くちなはの去りて久しきこの庭に花咲く樹こそ未亡《みばう》なりけれ

とかげの頭《づ》をりをり見ゆる庭石の半ば埋《うづ》もれ半ばわれなり

雀らが野分《のわけ》の前に來たりける智恵を怖れて聴くモーツァルト

韓國を敵と言ひなす人々の怯えぞふかき底紅《そこべに》の木槿

鬼に無きつばさかなしも鳥の道あふぐ金色《こんじき》のまなこ閉づべし

存在の瀧すずしけれさかしまに神と交はる水の眉はも

京に集ふ三十六歌仙齋宮女御の銀のこゑひびくはや

草深野《くさふかの》ひかり妙《たへ》なるこの上に何か望まむ人ならなくに

人界《じんかい》に疲るる午後の髪匂ひ鶺鴒《せきれい》となるみづから杳《とほ》し

百合わらふ鏡の部屋に囚はれしひさかたのわれぬばたまのわれ

實生《みしやう》なる鐵砲百合はわが庭のピエタとなりぬ晩夏かぎろひ

バイバイをくりかへす子ら天界の和音奇《くす》しき今日と知らなむ

さびしさにワンピース買ふひのくれや白百日紅《しろさるすべり》われが生みける

パラソルをまはす敗戦記念日のうつくしきすべての他者を愛すも

黒富士《くろふじ》をわが見たりける夏の日や歴史逆巻く白波の中

秋立つとこのくにの空あまたなる黒鳥《くろとり》が見ゆ狂はざらめや

南京を忘れずちちのみの父の血に染まざりし手は遺《のこ》るとも

邯鄲の空晴れてきみ渺茫《べうばう》のひとみ上げたり天帝夭《わか》し

露の底たましひ濡れて眞珠《しらたま》のイヤリング左耳より落とす

白孔雀ひらく世界にふるへつつ一絲まとはぬあくがれびとや

夕焼と馬の泪《なみだ》をけふ生きて忘れむことも星は記憶す

ゲルマント公爵夫人の赤き靴それのみに足る烏滸《をこ》のいのちよ

グレタ・ガルボのナポリ女王を想ふなく舌平目食むこの人を見よ

三島由紀夫は知つてゐた

人類の始源と末期《まつご》韻文の時代なるべし　ねむれプルースト

大運河小運河あるみづからの内なる都きみを沈めて

化粧《けはひ》せぬさやけさにゐてくちびるに紅差《べに》すはろけき交信のため

乳房もつ鯨はわれぞ神の子に乳をあたへむ希ひひそけく

たましひの痣《あざ》の象《かたち》を見せ合ひし白亞紀既に羊齒はおとろふ

復活はまづ石よりと呟きしわれとわがこゝろむらさきふかき

坂道を葡萄と共にのぼる身のさびしも一人称複数のわれ

死者生者言葉を交すひとときを天體のごと葡萄炎えたり

蜻蛉島《あきつしま》今か飛びなむ秋空は青したたらせわれらを待つも

人間の水は南と謠ひつつ死ぬる元雅《もとまさ》顯《た》たば顯《た》てかし

ともしびを消したまへとよ東大寺日光月光菩薩のたまふ

宴《うたげ》　果ててふと氣がつけば壺なりき高麗《かうらい》とよぶこゑの羞《やさ》しさ

瓜《うり》食めばましてしのばゆ亡き犬はわれにあらざる人を愛しき

立ち別れ去《い》なばの山の青うさぎしんじつ松の宇宙を生きて

星の井戸失ひしよりバッコスの信女は日々に迫り來るはや

アクメーは先端にして盛りなり言の葉白き星々の戀

シャンパンのほかは飲まずと大天使ミカエル言ひき生きざらめやも

リストまで彈きたりといふ友の手がわれにショールをかけくるる煉獄

アポロンの死後を生きゆくカサンドラ虹色の髪長く曳かまし

對幻《つい》想きららかなりし花野より墓原《はかはら》に出づ　雲は天才か

ふたたびは舞はざらむ手をかざしつつ蜻蛉《せいれい》に從《つ》くわたくしは他者

うちわたす遠方人《をちかたびと》に乞ふべくは大白鳥《おほしらとり》のふふむ白花《しらはな》

夢殿に聖徳太子ましますと雁《かり》の文《ふみ》來ぬ戀果つるとも

煉瓦なる架橋をくぐり狂詩曲ながるる地下のみづうみに逢ふ

カクテルは宮澤賢治の靑なりき鑛物の夜を戀な語りそ

土耳古石《とるこいし》の指輪はめたるクラリネット奏者に渡すうたの祕密を

われはけふケンタウロスのかなしみにかへり來たりきあかねさす夜

陶然とよこたはるもの跨ぎつつ書斎に入らむ漱石は見ゆ

椅子の名はY《ワイ》なりければとことはに若く黄色ききみが座るも

落ち雀庭に埋めたるわたくしは嘘言ふごとにすきとほりゆく

神の兵士かもめが降《くだ》るまひるまをめつむる舟にくちづけむため

ドイツ語は永遠の他者

カフカ叫ぶゆふぐれあらばわが胸の荒野に立てる石の樹あらば

亡き犬が胸にとまれる痛みもてプラトンのひろき肩を追ふはや

共に紫を好み
羅馬《ローマ》とはげに何ならむをみな古《ふ》りてクレオパトラの問ひを生くるも

長短母音をわれらも持てり
未完なる詩行すべなきアエネイス神より遠き死者はなほ書く

六番目の詩人。その中に女はゐない
森に入るダンテの手には黄金の枝無かりけりわれ無かりけり

フェードルのむらぎももゆる言の葉よ太陽神の核のちからよ

薔薇食みしエウリピデスかたまきはるわが子殺《あや》むるをみなら匂ふ

月世界旅行かなしもゆきゆきて女シラノのわが母に逢ふ

魚座なりしいちにんの息かへり來る天界狂言《きやうげん》綺語《きご》にみちたり

空と海とその果ての青つらぬけるひともとの剣《つるぎ》われはおそるる

さねさし相模に生くるさびしさや倭建《やまとたける》にさくらばなふる

ロベルト・デヴリュー

老女物《らうぢよもの》オペラをわれに観《み》しめたる友よ黄道《くわうだう》はいまだあかるき

序之舞の位《くらゐ》ゆ中之舞にゆく雨の足取りたしかなるかな

白紙《しらかみ》をあたへられける歓びを白紙《しらかみ》に書き白紙《しらかみ》は舞ふ

神なりし昨日はいづこあらくさを刈れば小《ち》さき小《ち》さきその花

白萩に幽《かく》るるをとめテレーズと名づけたりけりたまかぎる夕《ゆふべ》

小津よりも溝口を愛し入りがたき魔界を求む風のまにまに

にんげんがくわんおんとなる瞬間のネガフィルム見つ木洩れ日くらし

地下へゆく電車ははつかはにかみにつつ陽《ひ》と別れたり　コスモス

蕎麥《そば》不味《まづ》きゆふぐれ最も高貴なるけものと出會ふ時計臺下《とけいだいした》

まんじゆしやげ群がり咲くをかなしめるきみは光の尾をもてりけり

草木《さうもく》は盲目にして天地識《し》る　人は弱法師《よろぼし》さやぎやまずも

しじふからは言語を持つと聞きしより夜々《よよ》の銀河に洗ふわが舌

ヨハネ三人《みたり》みな異なれる美《くは》しさを泛《う》かめるごとき珈琲の酸

ちはやぶる神泣きたまふ日の在りてわれらつめたき柹《かき》を味はふ

トイレット磨きゐる時法悦のごときもの來る〈生《ヴィ》〉を呪へよ

デュラスの行間に落ちて

わがためのヤン・アンドレア在れかしと流星にいのる高窓《たかまど》のもと
白壁《しらかべ》の家に暮らしてまぼろしを書きやまざらむうたびとに死を

あとがき

これは私の第十歌集です。

二〇一七年九月から二〇二〇年五月までの四七二首を収めました。

題名は、マラルメの「詩の危機」の、有名な「不在の花」の一節から採りました。貧しい歌に、マラルメの言葉をいただくことにはためらひがありましたが、思ひきつて夢を叶へることにしました。「あらゆる花束に不在の花が」といふ元の言葉を、歌の中で、「如何なる花束にも無き花を」としてあります。この是非も問はれることと、覺悟して居ります。

水原紫苑

著者略歴

水原紫苑（みづはら　しをん）

1959年、横浜生まれ。春日井建に師事。
歌集に『びあんか』『うたうら』『客人《まらうど》』『くわんおん』『いろせ』『世阿弥の墓』『あかるたへ』『さくらさねさし』『武悪のひとへ』『光儀《すがた》』『えぴすとれー』。散文集に『星の肉体』『空ぞ忘れぬ』『うたものがたり』『京都うたものがたり』『歌舞伎ゆめがたり』『生き肌断ち』『あくがれ―わが和泉式部』『桜は本当に美しいのか』。

歌集　如何《いか》なる花束《はなたば》にも無《な》き花《はな》を

二〇二〇年八月十五日　発行

著　者　水原　紫苑
発行者　奥田　洋子
発行所　本阿弥《ほんあみ》書店
東京都千代田区神田猿楽町二―一―八　三恵ビル
〒一〇一―〇〇六四
電　話　〇三（三二九四）七〇六八（代）
振　替　〇〇一〇〇―五―一六四四三〇
印刷・製本　三和印刷
定　価　本体二七〇〇円（税別）

ISBN978-4-7768-1490-0　C0092（3206）